Diario
de
Ana Frank

Diario
de
Ana Frank

Ediciones MAAN S.A. de C.V.,
Nicolás San Juan 1043,
03100, México, D.F.

1a. edición, octubre 2011.

© *The Diary of Anne Frank*
Ana Frank

© 2011, Ediciones MAAN, S.A. de C.V.
Nicolás San Juan 1043, Col. Del Valle
03100 México, D.F.
Tels. 5575-6615, 5575-8701 y 5575-0186
Fax. 5575-6695
ISBN-13: 978-607-95683-9-9
Miembro de la Cámara Nacional
de la Industria Editorial No 3647
Adaptación: Guadalupe Velázquez
Formación tipográfica: Marco A. Garibay
Ilustraciones: Mariano A. Morales T
            y Kevin Daniels C.
Diseño de Portada: Karla Silva
Supervisor de producción: Leonardo Figueroa

Impreso en México - *Printed in Mexico*

Prólogo

Miles de voces en todo el mundo se levantaron denunciando el terrible genocidio cometido por los nazis hacia el pueblo judío. Pero existen muy pocos testimonios, como el que tan fuerte y perdurable nos dejara en su diario Ana Frank, el cual inició en junio de 1942 y tuvo que interrumpir el 4 de agosto de 1944, día de su detención.

La pequeña Ana Frank era una niña judía de trece años, hija de comerciantes alemanes que se refugiaron en Holanda, en 1933, tras las primeras persecuciones nazis. En julio de 1942, los

señores Frank y sus hijas Ana
y Margot tuvieron que elegir
entre someterse al llamado de la
Gestapo o esconderse sin importar
las consecuencias. Prefirieron
esta última opción y fueron a
refugiarse en unas habitaciones
abandonadas y aisladas, situadas
en el patio de atrás de un edificio
de oficinas. Junto con otras cuatro
personas, vivieron dos años de
inquietud, sufrimiento, angustia
e intranquilidad, pero también
intensamente cada instante como si
fuera el último.

El *Diario de Ana Frank* evoca
la imagen que Ana se forjó de
una amiga largamente esperada,
por lo que llamó a su diario
Kitty. Cuando terminó la guerra,
su padre, quien fue el único

sobreviviente de la familia Frank,
lo dio a conocer como un
testimonio de esos años de terror y
sufrimiento.

*Espero contártelo todo como hasta
ahora no he podido hacerlo con nadie;
espero también, en que serás
para mí un gran sostén.*
Ana Frank
12 de junio de 1942.

Domingo 14 de junio de 1942

El viernes 12 de junio me desperté antes de las seis, ya que era mi cumpleaños. No me permiten ser tan madrugadora. Tuve, pues, que contener mi curiosidad durante una hora todavía. Después de cuarenta y cinco minutos ya no podía más. Fui al comedor, donde Mauret, el gato, me saludó haciéndome mil gracias.

A las siete, fui a ver a mis padres, y por fin pude abrir mis regalos en la sala. La primera sorpresa fuiste tú, probablemente uno de mis

más hermosos regalos. Un ramo de rosas, una planta pequeña, dos ramas de peonias; seguidas de otras más durante el día.

Mis padres me han regalado generosamente, sin contar a nuestros numerosos amigos y allegados, que también me han agasajado mucho. Recibí, entre otros obsequios, un juego de mesa, muchos bombones, chocolates, un rompecabezas, un cepillo, *Mitos y leyendas neerlandesas* de Joseph Cohen, *Cámara oscura* de Hildebrand, *Daiy's Bergvacantie*, un maravillosos libro, y un poco de dinero con el cual compraré *Los mitos griegos y romanos*. ¡Excelente!

Más tarde, Lies vino a buscarme para ir a la escuela. En el recreo, regalé galletas a los profesores y alumnos, regresando después a la tarea.

Termino por hoy. ¡Salve, Diario! ¡Te encuentro maravilloso!

Lunes 15 de junio de 1942

Ayer durante la tarde, tuve mi primera fiesta de cumpleaños. La película: *El guardián del faro* con Rin tin tin, gustó mucho a mis numerosos amigos. Mamá desearía saber quién será mi esposo en un futuro, espero quitarle de la cabeza a Peter Wessel. He llevado una gran amistad con Lies Goosens y Sanne Houtman; así como con Jopie de Wall, a quien conocí en el liceo judío y se ha convertido en mi mejor amiga.

Sábado 20 de junio de 1942

Tengo varios días sin escribir.
Necesitaba reflexionar sobre lo
que significa un Diario. Es una
sensación singular el saber expresar
mis pensamientos, porque creo
que más tarde, ni yo ni nadie se
interesarían por las confidencias de
una niña de 13 años. Tengo ganas
de escribir, y aún buscar en mi
corazón toda clase de cosas. Creo
que nadie se preocupará por este
"Diario", no pienso jamás dejar
que alguien lo lea, a menos que
encuentre un verdadero amigo o
amiga al cual enseñárselo.

Para ser más clara, nadie creerá
que una muchachita de 13 años
esté sola en el mundo. Claro
que esto no es exactamente real,

pues tengo a mis padres y a una
hermana de 16 años; tengo, en
total, más de 30 conocidos, entre
ellos las llamadas "amigas". Tengo
admiradores en abundancia que me
siguen con su mirada. Tengo una
buena familia, con tíos y tías. No.
No me falta nada aparentemente,
salvo la amiga. Con mis camaradas
sólo me divierto. Nunca puedo
hablar con ellos de nada serio. Ni
siquiera con mis amigas puedo
llegar a intimar. Esta falta de
confianza es quizá mi verdadero
defecto. Ésta es la razón de este
Diario y deseo que se convierta
en la amiga esperada. Y esta amiga
llevará por nombre Kitty.

Kitty no sabe nada de mí y voy
a contarle brevemente la historia
de mi vida. Mi padre tenía 36 años

cuando se casó con mi mamá,
que tenía 25. Mi hermana Margot
nació en 1926, en Francfort
del Meno. Yo, el 12 de junio de
1929. Siendo judíos, llegamos
a Holanda en 1933, donde mi
padre fue nombrado director de la
Travies N.V., firma asociada con
Kole y Cía. de Amsterdam. El
mismo edificio era usado por las
compañías, de las cuales mi padre
era accionista.

La vida no estaba exenta de
emociones para nosotros, pues
nuestra familia se encontraba
todavía defendiéndose de las
medidas adoptadas por Hitler en
contra de los judíos. A raíz de las
persecuciones de 1938, los dos
hermanos de mi madre huyeron
hacia los Estados Unidos, llegando

sanos y salvos. Mi abuela, con
73 años entonces, se nos unió.
Después de 1940, nuestra buena
racha terminó: primero que nada
la guerra, la capitulación y la
invasión alemana, nos llevaron
a la miseria. Disposición tras
disposición en contra de los judíos:
obligados a llevar la estrella, a
ceder sus bicicletas; prohibición
para transportarse en tranvía o
conducir un auto; obligación de
comprar sus cosas únicamente
en los "negocios judíos", y de
3 a 5 de la tarde únicamente.
Prohibición para salir después de
las 8 de la noche, o de permanecer
en casa de sus amigos. Prohibido
practicar cualquier deporte ni
otras cosas de entretenimiento.
Prohibido frecuentar a los cristianos.
Obligación de asistir únicamente

a escuelas judías, y muchas otras restricciones semejantes. Así vivimos sin hacer esto o aquello. Nuestra libertad está muy restringida. Pero, la vida es aún llevadera. Mi abuela murió en enero de 1942. Nadie sabe cómo pienso en ella y cómo la quiero aún.

Desde el jardín de niños hasta sexto grado, estaba en la escuela Montessori. En 1941, mi hermana y yo ingresamos al liceo judío.

Hasta el día de hoy, nuestra pequeña familia de cuatro miembros se encuentra bien.

Sábado 20 de junio de 1942

Querida Kitty: Estoy bien, hay buen tiempo y reina la calma

en casa, mis padres han salido y Margot fue a jugar ping-pong a casa de una amiga. Yo también lo juego mucho últimamente y al finalizar un partido, visitamos la dulcería más cercana permitida a los judíos. Siempre encontramos algún admirador que nos invita helados.

Debe sorprenderte oírme hablar de admiradores, pero es un mal inevitable en nuestra escuela. Nueve de diez veces, algún muchacho termina enamorado de mí, y ya no puede dejar de mirarme. Si me dice que desea "pedir permiso a papá", cambio enseguida la conversación.

Hay quienes me envían besos y tratan de tomarme del brazo. Les

digo que no deseo su compañía o me doy por ofendida pidiéndoles que no regresen.

Ya que conoces esto, nuestra amistad queda establecida. Buenas noches.

Tuya, Ana.

Domingo 21 de junio de 1942

Querida Kitty: Todos mis compañeros de 5° grado tenemos mucho miedo, pues habrá un consejo de profesores para saber quiénes pasaremos de año. Creo que la cuarta parte de los alumnos deben repetir el año. Mis amigas y yo no nos preocupamos mucho, pues estamos seguras de pasar de año. Aunque siento que en

matemáticas no estoy bien del todo.
Tengo 9 profesores: 7 hombres y
2 mujeres, y me llevo bien con
ellos. Mi profesor de matemáticas
se enojó conmigo porque platico
mucho en clase.

En castigo tuve que escribir
una monografía con el tema de
La charlatana. Tuve que hacer ese
trabajo y no me costó mucho
esfuerzo realizarlo. La trama fue:
a todas las mujeres nos encanta
hablar y aunque es un defecto
femenino, trataré de corregirlo
pues es una herencia familiar.
Mamá habla más que yo, por eso
puedo hacer poco para remediarlo.

Mi escrito hizo reír mucho a mi
profesor. Al día siguiente continué
hablando en clase y me volvieron a

dejar otro escrito. Tres veces caí en la trampa. Después de lo sucedido, no he sido castigada por platicar en clase.

Tuya, Ana.

Miércoles 24 de junio de 1942

Querida Kitty: ¡Hace un calor insoportable! Todo el mundo está al borde de la desesperación. Por eso, a todos los lugares a donde voy lo hago a pie. Es en este momento en donde me he dado cuenta lo único que es un tranvía; pero para nosotros los judíos, esta maravilla no está permitida. Todavía podemos pasar por el canal. En el muelle de Joseph Israëls, hay una barca que da este servicio. Estoy segura que si los judíos sufrimos tanto no es por culpa de los holandeses. Por desgracia, durante las Pascuas me robaron mi bicicleta, y la de mamá fue entregada a los cristianos. Por fortuna, en una semana saldré de vacaciones escolares. La mañana de ayer conocí a un muchacho cautivador llamado Harry Goldman. Tiene dieciséis años y deseaba acompañarme a la escuela. Su plática es muy agradable

Tuya, Ana.

Martes 30 de junio de 1942

Querida Kitty: Perdona que no haya tenido tiempo de escribirte hasta hoy. Harry y yo somos cada día mejores amigos. Me tiene confianza pues me ha contado parte de su vida: llegó a Holanda

sin sus padres que se quedaron en Bélgica y vive en casa de sus abuelos. La noche del sábado, Harry me llamó por teléfono para venir a verme. Cuando lo vi acercarse a mi casa, corrí a abrir la puerta, y sin más rodeos me dijo que su abuela piensa que soy demasiado joven para ser amiga de él, pues quiere que regrese con su antigua novia. Para no contrariar a sus abuelos, quiere verme sólo los miércoles que va a una clase de escultura en madera. Al final nos pusimos de acuerdo para vernos de nuevo.

Tuya, Ana.

Viernes 3 de julio de 1942

Querida Kitty: Ayer vino Harry para conocer a mis padres. Compré bizcochos, bombones y un pastel para tomar el té. Después, decidimos salir a pasear. Regresamos a las ocho y eso molestó un poco a papá, pues es peligroso para los judíos transitar por las calles a esa hora. Harry me invitó a su casa mañana. Mi amiga Jopie siempre me dice cosas negativas sobre Harry. La verdad yo no estoy enamorada de él, pero creo que sí tengo el derecho de elegir a mis amigos. Afortunadamente los comentarios que mamá hace de él son muy positivos. A él también le agrada mi familia.

Tuya, Ana.

Domingo por la mañana, 5 de julio de 1942

Querida Kitty: El anuncio sobre

mis calificaciones que se hizo en el Teatro judío, resultó exitoso. Mis notas no son tan malas. Esto les gustó mucho a mis padres, pues ellos no son como los demás. Lo que ellos realmente desean es que yo esté sana y que no sea grosera, aunque tenga todo el derecho a divertirme.

Después de que se me admitió provisionalmente en el Liceo, luego de saltarme un año en la escuela Montessori, no quiero ser mala alumna. A últimas fechas, papá se queda todo el tiempo en casa; oficialmente se ha retirado de los negocios.

El señor Kraler retomó la firma Kolen & Cía y el señor Koophuis la Casa Travies. Hace unos días, papá comentó sobre un escondite. Dijo que sería muy difícil para nosotros vivir aislados del mundo exterior. Me recordó que desde hace más de un año, trasladamos nuestra ropa, muebles y enseres a casa de otras personas, para que no pasen a manos de los alemanes y mucho menos caer nosotros mismos. Podrían venir a buscarnos y por eso no los esperaremos para irnos. Pregunté a papá cuándo sería eso y respondió que no me asustara y que me divirtiera mientras pudiera hacerlo. Fue todo, pero deseo que eso aún no se realice.

Tuya, Ana.

Miércoles 8 de julio de 1942

Querida Kitty: Siento que han

pasado años entre el domingo y hoy. ¡Cuántos sucesos! Necesito contarte lo que pasó desde el domingo.

A eso de las tres tocaron a la puerta. Yo estaba en la terraza y no escuché. Margot llegó a la puerta de la cocina, se veía un poco confundida y dijo en voz baja que papá había recibido un citatorio de la SS. Mamá había salido en busca del señor Van Daan, amigo nuestro y colega de papá. Todo el mundo sabe qué es un citatorio, yo estaba verdaderamente aterrada, imaginé las celdas solitarias y los campos de concentración. Margot dijo que mamá fue a ver al señor Van Daan para saber si desde mañana podríamos habitar nuestro escondite, pues su familia se ocultaría también con nosotros. Tocaron a la puerta y no deseábamos abrir. Después escuchamos a mamá y al señor Van Daan saludar a Harry.

En nuestro cuarto, Margot me confesó que el citatorio no era para papá sino para ella misma. Asustada, empecé a llorar. ¡Margot tiene 16 años! Por fortuna mamá ha dicho que no irá. Ahora comprendo el comentario de papá al hablar de nuestro escondite. Ocultarse… ¿Adónde iremos a ocultarnos? Yo no podía preguntar eso ahora. Margot y yo empacamos lo más necesario en nuestras maletas. Lo primero que metí fue este cuaderno. Mi idea fija era el escondite, y empaqué las cosas más extrañas. Al fin, a las cinco regresó

papá. Hablamos por teléfono al
señor Koophuis para ver si le era
posible ir a casa esa misma noche.
Van Daan fue a buscar a Miep,
quien trabaja en las oficinas de mi
padre desde 1933, y es una buena
amiga de la familia, al igual que
Henk, su esposo. Miep se llevó una
maleta llena de zapatos y ropa.

La calma regresó al hogar.
Nadie tenía ganas de comer. Yo
estaba cansada y aunque sabía que
era la última noche en mi cama,
caí dormida inmediatamente. Al
día siguiente, mamá me despertó
a las cinco de la mañana. Todos
estábamos vestidos con mucha
ropa. Ningún judío, en esos
momentos, hubiera salido con una
maleta llena de ropa. Yo llevaba
puestas dos camisas, tres calzones,

un vestido, una falda, una chaqueta,
un abrigo de verano, dos pares
de medias, zapatos cerrados, una
boina, una bufanda y otras cosas.
A las siete y media salimos de casa.
Quitamos sábanas y cobijas de las
camas para dar la impresión de que
salimos precipitadamente. Teníamos
que irnos rápidamente para llegar a
un lugar seguro.

Tuya, Ana.

Jueves 9 de julio de 1942

Querida Kitty: Emprendimos el
camino bajo una fuerte lluvia;
Mis papás llevaban una bolsa con
provisiones. En el camino, papá me
fue diciendo la historia de nuestro
escondite. Desde hace meses
llevó, pieza por pieza, una parte

de nuestros muebles y ropa. Dado el citatorio, la fecha de nuestra desaparición se adelantó 10 días. El escondite se encontraba en una de las oficinas de papá. Los únicos que saben eso son los señores Kraler y Koophuis, luego Miep, y por último Elli Vossen, una secretaria de 23 años. El papá de Elli y dos hombres que la acompañaban en el depósito, también sabían de nuestro secreto.

El edificio tiene un enorme almacén en el entresuelo que servía de depósito. Al lado está la puerta de entrada de la casa, y detrás de ella, otra que da acceso a una pequeña escalera. Subiendo ésta se encuentra una puerta de vidrio traslúcido que dice "oficina".

La oficina principal es muy grande y luminosa; y es ahí donde trabajan de día Elli, Miep y Koophuis. Cruzando el vestidor está la oficina de los señores Kraler y Van Daan. Hay otras habitaciones subiendo por una pequeña escalera. La puerta de la derecha lleva al Anexo que da a los jardines. Nadie sospecharía que esa puerta tiene detrás tantas habitaciones.

Enfrente de la puerta de entrada se halla una escalera empinada, y a la izquierda un corredor que lleva al hogar de la familia, así como el cuarto de mis papás. A la derecha hay otro cuarto sin ventana; existe también un pequeño espacio donde se instaló un baño; al igual que una puerta con entrada al dormitorio que comparto con Margot.

Estas casas que rodean los canales de Amsterdam, son las más viejas de la ciudad. Un cuarto equipado con estufa de gas y fregadero se destinó para los esposos Van Daan. Ahora ya conoces nuestro hermoso Anexo.

Tuya, Ana.

Viernes 10 de julio de 1942

Querida Kitty: Quizá ya te aburrí con la larga descripción de nuestro nuevo hogar, pero es importante que conozcas el lugar donde he caído. Tan pronto llegamos a la casa ubicada en Prinsengracht, Miep nos llevó al Anexo. Todas las habitaciones estaban en completo desorden. Era necesario arreglar cuanto antes todo para poder dormir. Todo el día estuvimos vaciando cajas y ordenando lo mejor posible. No habíamos comido nada. El martes continuamos arreglando. Miep y Elli son las encargadas de conseguir nuestras provisiones. Papá se dedicó a perfeccionar el "camuflaje" de las luces. No tuve un minuto de descanso y sólo pensaba en cómo estaba cambiando mi vida.

Tuya, Ana.

Sábado 11 de julio de 1942

Querida Kitty: Ni mis papás ni Margot se acostumbran al reloj de la Westertoren, que suena cada 15 minutos. Yo lo encuentro precioso. No sé si me gusta nuestro escondite, pues nunca podré considerarlo mi hogar, pero no me siento desgraciada. Pienso que estoy de vacaciones. El Anexo es ideal como refugio. Aunque un poco húmedo, me parece confortable y único en Amsterdam y tal vez en toda Holanda. El cuarto de mi hermana y mío, lo decoramos con las fotos de mis artistas de cine favoritos y con postales. Quedó más alegre. Anoche nos reunimos en la oficina privada para escuchar la radio de Londres. Yo estaba tan angustiada de que alguien pudiera oírnos que pedí a papá regresar arriba. También por otras razones tenemos miedo de ser oídos o vistos por los vecinos.

El primer día hicimos cortinas para todas las ventanas. El edificio de la izquierda es una fábrica de muebles y el de la derecha, una gran casa mayorista. Nadie se queda en estos edificios después de las horas de trabajo.

Me entusiasma mucho la llegada de los Van Daan que vendrán el próximo martes. No habrá tanto silencio, pues eso es lo que me pone nerviosa. En el día caminamos sin hacer ruido, igual lo hacemos al hablar para que no nos oigan en el almacén.

Tuya, Ana.

Viernes 14 de agosto de 1942

Querida Kitty: Hace un mes que no te escribo, pero no había mucho de qué hablar. La familia Van Daan llegó un día antes de la fecha,

porque los alemanes empezaron
a molestar a una gran cantidad de
judíos.

El primero en llegar fue su
hijo Peter, de 16 años, que es
bastante fastidioso y tímido. Los
tres primeros días comimos todos
juntos de una manera muy cordial.
Los Van Daan nos contaron muchas
cosas del mundo exterior. Entre
ellas lo que sucedió en nuestra casa.
El señor Van Daan comentó a los
vecinos que supo que un amigo
de papá nos había prometido
ayudarnos para llegar a Suiza por
Bélgica. Algunos aseguran que nos
vieron salir al amanecer y otros,
que nos subieron a un auto militar
en plena noche.

Tuya, Ana.

Miércoles 21 de agosto de 1942

Querida Kitty: He decidido estar de vacaciones hasta septiembre. Papá me ha prometido que será mi profesor. No hay muchos cambios en nuestra vida. No me llevo bien con el señor Van Daan, pero él ha simpatizado con Margot.

Mamá me trata a veces como a una niña, cosa que no soporto. Peter está todo el día de holgazán tirado en la cama.

Hace calor afuera y aprovechamos el sol que entra a chorros por la ventana abierta.

Tuya, Ana.

Lunes 21 de septiembre de 1942

Querida Kitty: Hoy sólo me limito a contarte las noticias del Anexo. Ya no soporto a la señora Van Daan; me regaña por no dejar de hablar, pero no puedo evitarlo y prefiero no hacerle caso. Papá y yo estamos haciendo un árbol genealógico de su familia y eso me parece interesante. El señor Koophuis me trae cada 15 días libros para niñas.

He comenzado de nuevo a estudiar. Trato de aprender bien el francés y diario repaso. Peter comenzó a aprender inglés con mucho trabajo.

Hace días hablamos de que soy bastante ignorante, por lo que me pongo a estudiar mucho. Se habló de libros que casi todos están prohibidos para mí. Descubrí que sólo tengo un vestido de manga larga y tres chalecos para el invierno. Papá me permitió hacerme un suéter con lana blanca.

Tuya, Ana.

Viernes 25 de septiembre de 1942

Querida Kitty: Ayer "visité" a los Van Daan para platicar un poco. Hablamos sobre Peter y les comenté que seguido me acaricia la mejilla y eso no lo soporto. Debo contarte que el comité de nuestros protectores es muy inventivo para hacerle llegar noticias nuestras al señor Van Dijck, nuestro apoderado y responsable de las mercancías clandestinas. Por medio de mensajes dentro de una carta, Pim (es el apodo de papá) le informa que estamos bien.

Tuya, Ana.

Martes 29 de septiembre de 1942

Querida Kitty: Las personas que se ocultan adquieren curiosas experiencias. Imagina que no tenemos bañera, y que nos lavamos en la tina. Todos hemos escogido un lugar y nos turnamos los sábados para bañarnos. Peter y mamá eligieron la cocina. Los señores Van Daan lo hacen en la alcoba. Papá escogió la oficina privada. Margot y yo reservamos la oficina del frente. La semana pasada unos plomeros arreglaron la conexión de agua para que llegue de las oficinas hasta el corredor. Esta medida es una precaución para el invierno porque se congelan las tuberías.

Tuya, Ana.

Jueves 1 de octubre de 1942

Querida Kitty: Ayer me espanté mucho. Alguien tocó el timbre muy fuerte a las ocho. Pensé que serían ya sabes quiénes. Pero cuando todos dijeron que eran unos vagos o el cartero, me tranquilicé. Nos mantenemos en silencio como ratones asustados.

El día 29 fue cumpleaños de la señora Van Daan, la festejamos con flores, con platos deliciosos y algunos regalos. Hablando de ella te puedo decir que su coqueteo con papá me pone de mal humor. Se hace la graciosa para atraer la atención de Pim. Por suerte a él no le gusta ella y no hace caso a sus coqueteos. Elli se las ha arreglado para enviarnos por correspondencia unas clases de taquigrafía, para Margot, Peter y para mí. Me siento importante de aprender ese código.

Tuya, Ana.

Viernes 9 de octubre de 1942

Querida Kitty: Hoy no tengo más que noticias deprimentes. Poco a poco, muchos de nuestros amigos judíos son embarcados por la Gestapo en furgones de ganado a Westerbork, en Drente, que es el gran campo para judíos. Ese

lugar debe ser una pesadilla. No hay escapatoria de allí. La mayoría está marcada en el cráneo que lo tienen afeitado. Si esto sucede ya en Holanda ¿qué sucederá en las regiones lejanas? Sabemos que esa gente habrá de morir. La radio inglesa habla de cámaras de gas. Eso me enferma.

El novio de Elli tiene que partir para Alemania. Todos los días salen trenes llenos de muchachos de ambos sexos que van a trabajar obligadamente en Alemania. Algunos tratan de escapar, pero no siempre resulta.

¡Bonito pueblo el alemán, qué desgracia que yo también pertenezca a él! Pero no hace mucho tiempo que Hitler nos ha convertido en apátridas. No hay enemistad más grande en el mundo que entre los alemanes y los judíos.

Tuya, Ana.

Martes 20 de octubre de 1942

Querida Kitty: Hace dos horas que nos llevamos un tremendo susto. En el edificio donde vivimos hay dos aparatos Minimax contra incendios. Nadie nos avisó que vendrían a remplazarlos. Estábamos casi en total silencio, cuando escuchamos el ruido de golpes de martillo en nuestra puerta secreta. Oímos jalones y empujones. Casi me desmayo al pensar que pudieran descubrirnos. En eso escuchamos la voz del señor Koophuis que nos pedía abrirle. El pestillo que sujeta la

puerta del armario se había trabado
y por eso él no pudo avisarnos
del hombre que vendría. El lunes
nos divertimos mucho pues Miep
y Henk pasaron la noche con
nosotros. Elli vendrá a quedarse una
noche la próxima semana.

Tuya, Ana.

Jueves 29 de octubre de 1942

Querida Kitty: Papá enfermó y
eso me tiene muy preocupada.
Tiene mucha fiebre y le han salido
granos; puede ser sarampión. ¡Ni
siquiera podemos ir en busca del
médico! Mamá le hace sudar,
quizá con esto le baje la fiebre.
Esta mañana Miep nos contó que
el departamento de los Van Daan
ha sido saqueado. Todavía no les

hemos dicho, pues la señora es tan nerviosa que no sabemos cómo vaya a reaccionar. Pim quiere que empiece a leer libros para adultos. Ha sacado de la biblioteca dramas de Goethe y Schiller y va a leerme unos párrafos todas las noches. Mañana encenderemos la estufa por primera vez. Ojalá funcione.

Tuya, Ana.

Sábado 7 de noviembre de 1942

Querida Kitty: Últimamente mamá ha estado muy nerviosa, y eso para mí es muy peligroso. Margot estaba leyendo un libro con ilustraciones muy bonitas. Se levantó y lo dejó a un lado para más tarde. Como yo no estaba haciendo nada, lo tomé y comencé a hojearlo. Margot me lo pidió y mamá comenzó a regañarme. Que ella defienda a mi hermana es normal, siempre lo hacen mutuamente. Las quiero sólo porque son mi madre y mi hermana, pero como personas no me interesan. En cambio yo adoro a Pim. Él es mi gran ideal y a nadie quiero más que a él, porque es el único que hace que yo conserve aún mis últimos sentimientos de familia.

Tuya, Ana.

Lunes 9 de noviembre de 1942

Querida Kitty: Ayer festejamos el cumpleaños de Peter. El señor Van Daan nos anunció que los ingleses habían desembarcado en Túnez, en Argel, en Casablanca y en Orán.

El primer ministro inglés
Churchill lo denominó "El fin
del comienzo". Sin embargo, hay
motivos para sentirse optimistas.
Stalingrado, la ciudad rusa, desde
hace más de tres meses sigue en
pie y sin caer en manos de los
alemanes.

Ahora te voy a hablar de nuestras
provisiones del Anexo. El pan nos
lo trae un panadero que conoce
al señor Koophuis. Los cupones
de racionamiento también los
compramos en forma clandestina.
Hemos comprado legumbres en
lata y secas, que hay que compartir
también con el personal de las
oficinas. Casi me olvido decirte
que papá se ha restablecido por
completo. Acabamos de escuchar
por la radio, que ha caído

Marruecos, Casablanca y Orán;
ya están en manos de los ingleses.
Ahora toca a Túnez.

Tuya, Ana.

Martes 10 de noviembre de 1942

Querida Kitty: Vamos a recibir a
otra persona en nuestro escondite.
Nuestros dos protectores están de
acuerdo. Repasamos quién podría
ser y el elegido fue un dentista
llamado Albert Dussel, cuya esposa
está resguardada en el extranjero.
Miep también lo conoce y es ella
quien va a organizar el plan de su
llegada aquí. Él tendrá que dormir
en mi habitación.

Tuya, Ana.

Jueves 19 de noviembre de 1942

Querida Kitty: Dussel es una persona muy correcta. Él nos ha contado muchas cosas del mundo exterior. Sus relatos son tristes, pues muchos de nuestros amigos han desaparecido. No hay noche en que los alemanes no recorran la ciudad en busca de judíos; tocando de puerta en puerta hasta dar con ellos.

A veces pagan con florines por ellos. Por la noche veo a gente inocente caminando en la oscuridad, con niños en brazos llorando, ancianos enfermos… todos marchando hacia la muerte.

En mi cama me siento mal al pensar en mis amigas que han

sido arrancadas de sus hogares y lanzadas a este infierno. Me da horror pensar que aquellos tan cercanos a mí, se encuentren en manos de los verdugos sólo por ser judíos.

Tuya, Ana.

Sábado 28 de noviembre de 1942

Querida Kitty: Hemos gastado más electricidad de la permitida. Tenemos que economizar para evitar que nos interrumpan el servicio 15 días. Durante el día no está permitido que abramos las cortinas ni un centímetro, pero por la noche no hay ningún riesgo.

El señor Dussel me sermonea todo el día, porque tengo fama de ser la más mal educada de los tres jóvenes de la casa. Por la noche repaso todos los pecados y defectos que se me atribuyen y después de llorar, según el caso, me duermo con la extraña sensación de querer ser otra persona o hacer otra cosa de la que hago.

Tuya, Ana.

Martes 22 de diciembre de 1942

Querida Kitty: Todos en el Anexo nos regocijamos de la novedad: recibiremos 125 gramos de manteca para Navidad. Cada uno de nosotros pensamos hacer algo de repostería con manteca. Yo esta mañana he preparado bizcochos y dos pasteles.

Aquí se necesita buen sentido para todo: estudiar, obedecer, callarse, ayudar, ser buena, ceder y no sé cuántas cosas más.

Temo que mi sensatez, que no es muy grande, se esté agotando demasiado rápido y que no me quede nada para después de la guerra.

Tuya, Ana.

Miércoles 13 de enero de 1943

Querida Kitty: El terror reina en la ciudad. Día y noche transportan incesantemente a esas pobres personas, provistas tan sólo con un poco de dinero y una bolsa al hombro. El dinero se lo quitan en el trayecto, según dicen. A las familias se les separa sin piedad: hombres, mujeres y niños van a parar a lugares distintos.

Al volver de la escuela, los niños ya no encuentran a sus padres. Las mujeres que van de compras, al volver a casa encuentran la puerta sellada y a su familia desaparecida. Todo el mundo tiene miedo. Cientos de aviones sobrevuelan Holanda para bombardear y dejar en ruinas las ciudades alemanas; y en Rusia y África caen cientos de miles de soldados cada hora.

Nadie puede mantenerse al margen. Todo el planeta está en guerra, y aunque a los aliados les va mejor, todavía no se logra ver el final. A nosotros nos va mejor que a millones de personas.

Estamos en un lugar seguro y tranquilo y aún nos queda dinero para mantenernos. Holanda ya ha llegado al extremo de que en muchas de sus calles, los niños paran a los transeúntes para pedirles un pedazo de pan.

No nos queda otro remedio que aguantar y esperar el fin de esta desgracia. Tanto los judíos como los cristianos están esperando, todo el planeta está esperando, y muchos esperan la muerte.

Tuya, Ana.

Sábado 27 de febrero de 1943

Querida Kitty: Según Pim, la invasión se producirá en cualquier momento. Churchill tuvo una

pulmonía de la que se recuperó
lentamente. Gandhi, el libertador
de la India, hace de nuevo
huelga de hambre. Imagínate lo
que nos sucede. El dueño de este
edificio lo ha vendido sin avisarle a
Kraler y Koophuis.

Una mañana se presentó el
nuevo dueño para ver la casa. Por
fortuna se encontraba aquí el señor
Koophuis para recibirlos y les
mostró todo menos el Anexo, pues
dijo que había olvidado la llave.

Nos salvamos esta vez. Las
cosas entre mamá y yo han
mejorado mucho, pero no creo que
lleguemos a ser confidentes.

Tuya, Ana.

Miércoles 10 de marzo de 1943

Querida Kitty: Anoche se produjo un corto circuito durante un bombardeo. No puedo ocultar el miedo que me producen los aviones y las bombas, y me refugio en la cama de papá para que me consuele. Te parecerá muy infantil, pero si tú tuvieras que pasar por esto… Los cañones nos vuelven sordos, al grado de no poder oír ni tus propias palabras.

A la luz de las velas, todo era menos terrible que en la oscuridad. Yo temblaba como una hoja de papel y le pedía a papá que la volviera a encender pero no aceptó. De pronto empezaron a disparar las ametralladoras, que son mil veces peor que los cañones. Algunos días después, nos despertó un fuerte ruido. Peter subió al desván con una linterna y vio que eran ratas.

Tuya, Ana.

Sábado 27 de marzo de 1943

Querida Kitty: Rauter, uno de los grandes jerarcas nazis, ha dicho que para el 1° de julio, todos los judíos deberán abandonar los países alemanes.

Del 1° de abril al 1° de mayo, depurarán la provincia de Utrecht (como si fueran cucarachas), y del 1° de mayo al 1° de junio, se hará lo mismo en las provincias de Holanda septentrional y meridional. Se llevan al matadero a esa pobre gente, como si fuera

ganado enfermo y abandonado. Es como una pesadilla.

La buena noticia es que hubo un incendio en la bolsa de trabajo alemana por sabotaje. Días después le tocó su turno al registro civil, cuando unos hombres con uniforme de la policía alemana, amordazaron a los guardias y desaparecieron muchos papeles importantes.

Tuya, Ana.

Jueves 1 de abril de 1943

Querida Kitty: El señor Koophuis sufrió ayer una fuerte hemorragia estomacal y tendrá que estar en cama tres semanas. Elli está con gripe y su padre probablemente

tiene una úlcera en el estómago y
será operado la próxima semana.

Tuya, Ana.

Martes 27 de abril de 1943

Querida Kitty: La casa entera
retumba por las peleas. Mamá
contra mí, los Van Daan contra
papá, la señora contra mamá, todos
están enojados con todos. Y como
siempre todos los pecados de Ana
salieron a relucir. Los ataques aéreos
de las ciudades alemanas son cada
vez más intensos. Por las noches
ya no dormimos. La comida es un
desastre. En el desayuno, pan duro
y sustituto de café. En la comida
espinacas o ensalada, desde hace 15
días. Las papas largas, dulces y con
sabor a podrido. Todos los hombres

que pelearon contra los alemanes o que estuvieron movilizados en 1940, se han presentado en los campos prisioneros de guerra, para trabajar obligadamente en Alemania.

Tuya, Ana.

Sábado 1 de mayo de 1943

Querida Kitty: A veces me pongo a pensar en la vida que llevamos aquí y llego a la misma conclusión: en comparación con otros judíos que no están escondidos, vivimos como en un paraíso. De todas formas, algún día, cuando todo haya vuelto a la normalidad, me extrañaré de cómo nosotros, que en casa éramos tan pulcros y ordenados, ahora nos hemos reducido.

Nuestra ropa está muy gastada y sucia. Ya sé que esto no es de gran importancia, pero a veces me asusta pensar: si ahora usamos cosas gastadas, desde mis calzones hasta la brocha de afeitar de papá, ¿cómo tendremos que hacer para pertenecer a nuestra clase social de antes de la guerra? Esta noche los aviones han bombardeado de tal manera, que he empacado en una maleta lo estrictamente necesario en caso de tener que huir. Mamá me ha preguntado ¿a dónde quiero huir? Toda Holanda está castigada por sus huelgas. Ha sido declarada en estado de sitio, y su ración de pan reducida a 100 gramos por persona.

Tuya, Ana.

Martes 18 de mayo de 1943

Querida Kitty: He sido testigo de una batalla monstruosa entre aviones ingleses y alemanes. Desgraciadamente, algunos aliados han tenido que saltar en paracaídas de sus aviones en llamas.

A pesar del calor de la primavera, nos vemos obligados a encender la estufa todos los días para quemar los deshechos y la basura.

No podemos usar los cubos, pues esto despertaría las sospechas del mozo del almacén. La menor imprudencia nos delataría.

Tuya, Ana.

Domingo 13 de junio de 1943

Querida Kitty: El poema que me dedicó papá por ser mi cumpleaños es muy bonito. Como papá escribe en alemán, Margot se encargó de la traducción. Me dieron regalos muy bonitos, entre otras cosas, un libro grande sobre mitología romana y griega, que es mi tema favorito. Como la niña más pequeña de la familia, todos me han mimado mucho más de lo que merezco.

Tuya, Ana.

Domingo 11 de julio de 1943

Querida Kitty: He decidido abandonar un poco la taquigrafía. En primer lugar, quisiera dedicar más tiempo a mis otras asignaturas

y luego por mis ojos, porque me
he vuelto bastante miope, y hace
tiempo que debería usar lentes.
Mamá sugirió que me llevara al
consultorio del oculista la señora
Koophuis. Creí desmayarme. ¡Salir
a la calle! Es increíble. No es fácil.

Todos los riesgos se han
sopesado y no creo que el plan
se lleve a cabo. Elli nos da mucho
trabajo de la oficina a Margot y a
mí; eso le ayuda enormemente y
nos da importancia. Miep no hace
otra cosa que transportar paquetes.
Casi todos los días encuentra
verdura en alguna parte y la trae en
su bicicleta.

También nos trae cada sábado
cinco libros de la biblioteca. La
gente común y corriente no

imagina lo que es un libro para un escondido.

Tuya, Ana.

Viernes 16 de julio de 1943

Querida Kitty: De nuevo nos visitaron los ladrones, pero esta vez ladrones de verdad. Peter bajó al almacén como siempre a las siete de la mañana y notó que la puerta de entrada estaba abierta de par en par. Se lo dijo enseguida a Pim quien cerró la puerta con llave. En estos casos debemos dejar de lavarnos, guardar silencio y no usar el w.c. Los ladrones se llevaron 40 florines, tarjetas de traspaso de valores y todos los bonos de azúcar, que representan 150 kilos. Este incidente nos ha puesto nerviosos otra vez. Por fortuna las máquinas de escribir y la gran caja están a salvo, pues las subimos a casa todas las noches.

Tuya, Ana.

Lunes 19 de julio de 1943

Querida Kitty: El domingo, el norte de Amsterdam fue severamente bombardeado. Una devastación espantosa. Calles enteras en ruinas; tardarán mucho en rescatar a toda la gente sepultada bajo los escombros. Los hospitales están llenos hasta el tope.

Se dice que hay niños que buscan a sus padres bajo las cenizas aún calientes. Cuando pienso en los estruendos que se escuchaban

en la lejanía y en la destrucción
que se avecinaba, me estremezco.

Tuya, Ana.

Lunes 26 de julio de 1943

Querida Kitty: Ayer fue un día
lleno de alboroto y de emociones.
Por la mañana, mientras
desayunábamos, sonó la primera
alarma, pero no hicimos mucho
caso pues significa que los aviones
sobrevuelan la costa. A las dos y
media, las sirenas empezaron a
sonar y cinco minutos después, se
produjeron tales sacudidas, que nos
refugiamos en el comedor.

La casa temblaba y las bombas
no estaban lejos. Yo tenía mi bolsa
para la huida bien apretada entre

mis brazos. Mis padres, Margot y
yo, subimos para ver las columnas
de humo sobre el puerto. El
aire de afuera se transformó en una
bruma espesa. Al final de la tarde:
alarma aérea. Nuevamente cayeron
bombas a raudales, al otro lado de
la ciudad, por el aeropuerto. A cada
momento yo pensaba: "¡Creo que
ha llegado la hora!". Al acostarme,
mis piernas aún temblaban. A
medianoche los aviones de nuevo.
Dos horas de vuelo y de tiros sin
cesar.

En la mañana, oímos por la radio
que Mussolini había presentado su
renuncia al rey de Italia. ¡Nuevas
esperanzas de que todo termine,
nuevas esperanzas de que haya paz!

Tuya, Ana.

Martes 10 de agosto de 1943

Querida Kitty: Desde hace una semana nadie sabe la hora exacta. Nos quitaron el reloj del edificio. Seguramente para la fundición de metales destinados al material de guerra. Ya no podemos conocer la hora, ni de día, ni de noche. Dussel estuvo a punto de poner nuestras vidas en peligro. Se le ocurrió encargarle a Miep un libro prohibido, una sátira sobre Hitler y Mussolini. Al volver en bicicleta con el ejemplar, ella tuvo un choque con unos motociclistas de la S.S. Les gritó: "¡Canallas!" y se dio a la fuga. No quiero pensar qué podría haber pasado si la detienen.

Tuya, Ana.

Jueves 16 de septiembre de 1943

Querida Kitty: En el Anexo las cosas van de mal en peor cada día. En la mesa nadie quiere ya hablar, porque la menor palabra corre el riesgo de ser mal interpretada o de molestar a alguien. Diario me dan valeriana para calmar los nervios. Definitivamente, las cosas no mejoran por la aprensión que nos provoca la llegada del invierno. Además, uno de los hombres del almacén, sospecha del Anexo.

Tuya, Ana.

Miércoles 29 de septiembre de 1943

Querida Kitty: Esta semana Elli ha estado a punto de sufrir una

crisis nerviosa, pues le habían
hecho tantos encargos, insistido
tanto sobre las cosas urgentes y
sobre lo que nos faltaba, además
de su trabajo en la oficina, que
casi pierde la brújula. Nosotros le
ayudamos acortando nuestra lista
de encargos. Por otra parte, noto
que hay problemas entre Pim y
el señor Van Daan. ¡Nada más eso
faltaba! ¡Si tan sólo pudiera irme de
aquí!

Tuya, Ana.

Lunes 8 de noviembre de 1943

Querida Kitty: Esta noche, cuando
Elli estaba todavía en nuestra casa,
tocaron a la puerta, largo rato y
con insistencia. Inmediatamente
me puse blanca y sentí cólicos

y taquicardia; todo eso por la angustia. Por las noches, me veo en un calabozo, sola, sin mis padres. Me imagino al Anexo preso de las llamas, ¡siento que vienen a buscarnos a todos durante la noche! Cuando hablo de la "posguerra", es como un castillo en el aire, algo que nunca podrá ser realidad. Nuestra casa de antes, las amigas, pienso en todo eso como si yo jamás lo hubiera vivido y fuera producto de mi fantasía.

Tuya, Ana.

Jueves 6 de enero de 1944

Querida Kitty: Como mi sueño es hablar en verdad con alguien mayor y más fuerte, se me ha ocurrido elegir a Peter. Más de una

vez he entrado a su habitación. Lo encuentro muy simpático y por muy huraño que sea, nunca echaría a nadie que fuera a molestarle. Ayer aproveché una buena ocasión para quedarme a su lado y platicar.

Yo no tenía más que mirar sus ojos negroazulados y su sonrisa misteriosa en la comisura de sus labios… Pude leer en su rostro su vergüenza, su falta de aplomo y una sombra de certidumbre de saberse hombre. Al ver sus torpes movimientos, algo se estremeció en mí. Pero la velada pasó sin nada especial. No hay que pensar que yo esté enamorada de Peter. Nada de eso.

Tuya, Ana.

Viernes 28 de enero de 1944

Querida Kitty: Uno de los
temas predilectos de Koophuis
y de Henk es el de hablar de
los que se ocultan. Todo cuanto
se refiere a nuestros semejantes
y sus escondites nos interesan
prodigiosamente, y nos afligimos
cuando son atrapados y saltamos
de alegría cuando sabemos
que un prisionero ha escapado.
Hay organizaciones como la
"Holanda libre" que preparan
falsos documentos de identidad,
proporcionan dinero a las personas
ocultas, les preparan refugios y
proveen de trabajo clandestino a
jóvenes.

Nosotros aquí también
tenemos la gran ayuda de nuestros

protectores, que nos han sacado adelante hasta ahora y espero que lograrán su objetivo hasta el final, porque tendrían la misma suerte que nosotros en caso de denuncia. Nunca se han quejado de la carga que representamos para ellos.

Tuya, Ana.

Jueves 3 de febrero de 1944

Querida Kitty: En todo el país aumenta día a día el clima de invasión. Todos los diarios hablan de lo mismo; el desembarco enloquece a la gente completamente. Se lee en el periódico: "En caso de desembarco de los ingleses en Holanda, las autoridades alemanas tomarán todas las medidas para la defensa del país; si es necesario, se recurrirá a la inundación". Como Amsterdam está en la zona que se intenta ocupar, nos preguntamos lo que sucedería con un metro de agua en las calles. También nos preguntamos ¿qué haremos si los alemanes quieren evacuar nuestra ciudad? Tenemos muchas respuestas.

Yo me siento tranquila y no presto atención a lo que se dice en el Anexo. Que viva o que muera, me da lo mismo. Ahí tienes a lo que he llegado. Sólo me queda ver venir las cosas. No me preocupan más que mis estudios y confío en que el final será bueno.

Tuya, Ana.

Domingo 13 de febrero de 1944

Querida Kitty: Desde ayer algo
ha cambiado en mí. Yo tenía una
terrible nostalgia, pero me siento
vagamente apaciguada. Noté
esta mañana que, con gran
emoción de mi parte, Peter no ha
dejado de mirarme de una manera
muy distinta a la normal. Siempre
pensé que él estaba enamorado
de Margot y ahora pienso que me
equivoqué. Papá ha notado que
me pasa algo y sólo deseo estar sola.

Tuya, Ana.

Viernes 18 de febrero de 1944

Querida Kitty: Cada vez que visito
el granero por cualquier cosa, en
verdad subo para verlo a "él". Mi

vida ha mejorado en el Anexo,
pues ahora alguien forma mi
mundo, y eso me agrada.

No estoy enamorada, pero algo
me dice que nuestros sentimientos
pueden acabar en algo bello. Él era
muy tímido, pero ahora, no deja
de hablar conmigo sobre cualquier
cosa. Todos mis ratos de ocio me
los paso en el cuarto de Peter.
Mamá me mira con una curiosidad
tremenda.

Tuya, Ana.

Domingo 27 de febrero de 1944

Muy querida Kitty: Súbitamente,
de la noche a la mañana, ya no
hago más que pensar en Peter.
Me duermo evocando su imagen,

sueño con él durante la noche
y me despierto todavía bajo su
mirada.

Peter, al igual que yo, le falta
una madre. La suya es demasiado
superficial, solamente piensa en
el "flirt" y se interesa muy poco
por los pensamientos de su hijo.
La mía se interesa mucho en mí,
pero no tiene el instinto materno,
tan hermoso y tan sutil. Los dos
pugnamos por los problemas
de nuestro ser. Aún no estamos
seguros, ni el uno ni el otro, y en
el fondo somos demasiado jóvenes
y de naturaleza muy tierna para
soportar las brusquedades de
nuestros mayores.

Tuya, Ana.

Martes 7 de marzo de 1944

Querida Kitty: Cuando reflexiono sobre mi pequeña vida de 1942, todo se me antoja fantástico e irreal. Era una Ana muy diferente a la que, ahora, ha conquistado cierta cordura. Era una vida bendita. Admiradores en cada esquina, una veintena de amigas, la predilecta de la mayoría de mis profesores, y mimada a más no poder por mis padres, con bombones, dinero en el bolsillo… ¿Qué más pedir? Tuve la suerte de ser arrojada bruscamente a la realidad, y he necesitado más de un año para adaptarme a una vida desprovista de toda admiración. ¿Qué queda de aquella muchacha? Me gustaría, por una sola noche, por algunos días o por una semana,

volver a ser la de antes: alegre y
despreocupada. A pesar de todo,
mi felicidad de 1942 tampoco era
intacta. Con frecuencia me sentía
abandonada. Ahora veo las cosas
de frente. Aquel periodo de mi
vida terminó irremediablemente.
Los años escolares, su tranquilidad
y su despreocupación, nunca más
volverán.

Mi vida, hasta el año de 1944, la
veo a través de una lupa despiadada.
La primera parte de 1943: crisis
de lágrimas, soledad infinita,
lenta comprensión de todos mis
defectos que ya eran graves, pero
parecían agravarse más. La segunda
parte del año fue un poco mejor.
Decidí cambiar y formarme según
mi propia voluntad. Tuve que
confesarme que ni siquiera Pim

sería nunca mi confidente. Sólo podría tener confianza en mí.

Lo "Bueno" es la seguridad de nuestro escondite, de mi salud intacta, de todo mi ser. Lo "Amable" es Peter, es el despertar de una ternura que nosotros sentimos, sin llegar a nombrarla. Lo "Hermoso" es el mundo, la naturaleza, la belleza y todo cuanto lo forma. Aquel que es feliz, puede hacer felices a los demás. Quien no pierde ni el valor ni la confianza, jamás morirá por la miseria.

Tuya, Ana.

Jueves 23 de marzo de 1944

Querida Kitty: Nuestros asuntos van un poco mejor.

Afortunadamente nuestros proveedores de falsas tarjetas de racionamiento han sido liberados.

Ayer volvió Miep. Elli sigue mejor, pero Koophuis tendrá que estar en cama por mucho tiempo. Ayer un avión cayó cerca de la vecindad. Se estrelló sobre una escuela vacía, causó muertos y un ligero incendio. Los alemanes dispararon a los aviadores. Era espantoso.

Por otro lado, todos tienen algo que comentar sobre la repentina amistad entre Peter y yo. ¿Es que los padres han olvidado su propia juventud? Parece que sí.

Tuya, Ana.

Miércoles 29 de marzo de 1944

Querida Kitty: Anoche, durante
la transmisión de radio, el
ministro Bolkestein dijo en
su discurso que después de la
guerra se coleccionarían cartas
y memorias relativas a nuestra
época. Por supuesto, todos los
ojos se volvieron hacia mi Diario.
¡Imagínate una novela sobre el
Anexo publicada por mí! ¿Verdad
que sería interesante?

El domingo, 350 aviones ingleses
descargaron media tonelada de
bombas sobre Ijmuiden, haciendo
retumbar las casas como briznas
de hierba en el viento. Además,
el país está invadido por toda
clase de epidemias. La gente hace
largas filas para la menor de sus

compras; los médicos no pueden
ir a ver a sus enfermos pues les
roban sus vehículos; el robo y las
raterías están a la orden del día,
a tal grado que nos preguntamos
cómo nuestros holandeses se han
convertido en ladrones de la noche
a la mañana.

Los niños de 8 a 11 años rompen
los vidrios de los escaparates y
roban lo que encuentran a mano.
Nadie se atreve a dejar su casa
cinco minutos por miedo de que
sus bienes desaparezcan.

No tiene nada de extraño que
la población esté convulsionada;
todos tienen hambre, y las raciones
de una semana no son suficientes
para vivir dos días. Por suerte
sólo un pequeño porcentaje de la

población neerlandesa colabora con el bando contrario.

Tuya, Ana.

Viernes 31 de marzo de 1944

Querida Kitty: Todavía hace bastante frío y mucha gente está sin carbón desde hace un mes. ¿No te parece horrible? Supimos que los rusos se encuentran enfrente del gran cuartel general alemán, y se acercan a Rumania.

Cada noche esperamos un comunicado especial de Stalin. Hungría ha sido ocupada por tropas alemanas; allí todavía viven un millón de judíos que, sin duda, también van a pasar malos momentos.

Mi vida aquí ha cambiado bastante. Ha mejorado muchísimo. Dios no me ha dejado sola, y nunca me dejará.

Tuya, Ana.

Martes 11 de abril de 1944

Querida Kitty: La cabeza me da vueltas y no sé por dónde empezar. El domingo en la noche, Peter fue a ver a papá y le pidió ayuda con una frase en inglés. Le dije a Margot que algo andaba mal, pues el pretexto de Peter era demasiado tonto. Tenía razón: había ladrones en el almacén. Los hombres del Anexo bajaron.

Poco después, entró papá, pálido y nervioso, seguido del

señor Van Daan. Nos pidieron
que apagáramos las luces y
subiéramos sin hacer ruido, pues
temían que viniera la policía.
Dos de ellos montaron guardia
junto a la ventana, en el cuarto
de Peter; la puerta de atrás fue
cerrada con cerrojo, lo mismo
que la del armario giratorio. De
nuevo los hombres bajaron y el
señor Van Daan perdió la cabeza
y gritó: ¡Policía! De inmediato se
escucharon pasos presurosos de los
ladrones hacia la salida. A fin de
impedir que la policía viera el hoyo
que habían hecho en la puerta,
nuestros hombres intentaron
poner la tabla en su sitio, pero un
puñetazo del otro lado la hizo caer
al suelo. Una pareja que pasaba
por el muelle se detuvo y mandó
una luz cegadora con su lámpara.

Uno de nuestros hombres gritó y la pareja salió corriendo. Pensamos que darían aviso a la policía. Como al día siguiente era lunes de Pascua, no podíamos movernos antes del martes. Nos quedamos en la oscuridad. Más tarde escuchamos jalonear la puerta-armario tres veces. Luego pasos que se alejaban. Todos estábamos sumamente cansados. Si la policía venía, yo estaba lista para ello. Se dijeron muchas cosas. Repetir aquello no valdría la pena. Hablamos de huida y de interrogatorios por la Gestapo. Nos turnábamos para vigilar. A las siete telefonearon a Koophuis y le explicaron lo sucedido. Tocaron a la puerta y todos quedamos en suspenso. Eran Miep y Henk, quienes fueron recibidos con lágrimas de alegría. Ellos tenían que dar parte a la policía del robo. Mientras, nosotros podríamos refrescarnos un poco. Actuamos muy rápido, antes de que llegara la policía. Ninguno de nosotros había visto el peligro tan de cerca como la noche anterior. Dios debe de habernos protegido.

Tuya, Ana.

Lunes 8 de mayo de 1944

Querida Kitty: Todavía no te he contado nada de mis orígenes. Los padres de papá eran muy ricos. La juventud de papá consistía en bailes cada semana, residencias suntuosas, lindas muchachas, etc. Todo ese dinero se fue con la Primera Guerra Mundial y la inflación.

Mamá proviene también de padres ricos. Seguido escuchábamos sus historias de fiestas de 250 invitados, cenas y bailes de sociedad. Ahora ya no somos ricos, pero espero que nos recuperemos al terminar la guerra.

Me conformaría con una vida restringida. Me gustaría ver algo del mundo y adquirir un poco de experiencia. Un poco de dinero no caería mal.

Tuya, Ana.

Lunes 22 de mayo de 1944

Querida Kitty: El desembarco no se ha efectuado todavía. Toda Holanda y toda la costa occidental de Europa, no hace más que hablar

del desembarco. Una buena parte
de holandeses han dejado de creer
en los ingleses. El desembarco, la
liberación y la libertad llegarán
un día, pero la hora sólo la saben
Inglaterra y Norteamérica.

Con gran pesar hemos sabido
que muchas personas se han
vuelto contra los judíos. Sólo me
resta confiar que esta ola de odio
contra nosotros sea pasajera, que
los holandeses se mostrarán pronto
como son, guardando intactos
su sentido de la justicia y su
integridad.

Si ese horror tuviera que
suceder, los pocos judíos que
quedan en Holanda terminarían
por dejarla. También nosotros
tendríamos que abandonar este

hermoso país que tan cordialmente nos recibió y que, sin embargo, nos vuelve la espalda.

Tuya, Ana.

Jueves 25 de mayo de 1944

Querida Kitty: Todos los días pasa algo. Esta mañana, nuestro proveedor de legumbres fue arrestado por tener a dos judíos en su casa. El mundo está trastornado; personas decentes son enviados a los campos de concentración, a las prisiones, o todavía tiemblan en las celdas solitarias. Nos hará falta nuestro proveedor de legumbres. Miep y Elli no podrán encargarse de semejantes bolsas de papas sin llamar la atención; lo único que nos queda es comer menos. Eso significa el hambre, pero no es nada comparado con el horror de ser descubiertos.

Tuya, Ana.

Martes 6 de junio de 1944

Querida Kitty: "Hoy D–Day", dijo la BBC al mediodía, y con razón: "Este es el día"; ¡el desembarco ha comenzado! Esta mañana, a las 8, la BBC anunció el bombardeo en gran escala de Calais, Boloña, El Havre y Cherburgo, y también del paso de Calais. Todos los habitantes de la zona están expuestos a los bombardeos. Las operaciones de las tropas inglesas y americanas han empezado. Discursos de Gerbrandy, del primer ministro de Bélgica, del rey Haakon de

Noruega, del francés De Gaulle, del rey de Inglaterra, sin olvidar el de Churchill.

El Anexo es un volcán en erupción. ¿Estará cerca la libertad tan largamente esperada? No lo sabemos, pero la esperanza nos hace renacer, nos devuelve el valor, nos restituye la fuerza. ¡Oh Kitty! Lo mejor del desembarco es la idea de que podré estar con mis amigos. Ya no se trata de judíos. Ahora se trata de Holanda y de toda Europa ocupada.

Tuya, Ana.

Martes 13 de junio de 1944

Querida Kitty: Otro cumpleaños más. He llegado a quince años.

Recibí muchas cosas. Los cinco tomos de Historia del Arte, un collar, dos cinturones, un pañuelo, dos tarros de yogurt, dulces confitados, un gran bizcocho y un libro de botánica, de papá y mamá.

Un brazalete doble de Margot, un libro de los Van Daan y un precioso ramo de peonias de Peter, entre otras cosas. El desembarco va muy bien a pesar del mal tiempo, las tormentas, los torrentes de lluvia y el mar desencadenado. Desde el Anexo no podemos conocer la moral de los holandeses. No hay duda que la gente se alegra de ver a la Inglaterra "incapaz" combatir por fin.

Tuya, Ana.

Jueves 15 de junio de 1944

Querida Kitty: Quizá sea la nostalgia del aire libre después de estar tanto tiempo lejos de él, pero añoro más que nunca la naturaleza. Recuerdo todavía que nunca me sentí tan necesitada por un cielo azul deslumbrante, por los pájaros cantores, por el claro de luna, por las plantas y las flores.

Aquí, he cambiado. Ver el cielo, las nubes, la luna y las estrellas me tranquilizan y restituyen la esperanza; no se trata de mi imaginación. La naturaleza me hace humilde, y me preparo a soportar todos los golpes con valor.

Tuya, Ana.

Viernes 23 de junio de 1944

Querida Kitty: Los ingleses han principiado la gran ofensiva sobre Cherburgo. ¡Pim y Van Daan están seguros de nuestra liberación antes del 10 de octubre!

Los rusos toman parte en las operaciones; ayer comenzaron la ofensiva sobre Witebsk, es decir, tres años después de la invasión alemana. Ya casi no nos quedan papas; en lo futuro, cada cual contará su parte.

Tuya, Ana.

Viernes 21 de julio de 1944

Querida Kitty: Existen cada vez más razones para tener confianza.

Esto camina muy bien. ¡Noticias increíbles! Intento de asesinato contra Hitler, no por judíos, comunistas o por capitalistas ingleses, sino por un general de la nobleza germánica. El Führer sólo sufrió algunos rasguños y quemaduras. Una buena prueba de que muchos oficiales y generales están cansados de la guerra y verían con alegría a Hitler descender a los abismos más profundos.

Siento nacer la esperanza de poder sentarme de nuevo, en octubre, en los bancos de la escuela. ¡Oh, perdón! No hay que adelantarse nunca. No por nada me llaman "una masa de contradicciones".

Tuya, Ana.

Martes 1 de agosto de 1944

Querida Kitty: "Masa de contradicciones" tiene dos sentidos: contradicción exterior y contradicción interior. El primer sentido se explica claramente: no apegarse a las opiniones ajenas, saber mejor que el otro, decir la última palabra, en fin, todas las características desagradables por las cuales se me conoce muy bien.

Pero en lo segundo, no soy conocida, y ese es mi secreto. Ya te he dicho que mi alma está dividida en dos. La primera, alberga a mi risa, a mis burlas por cualquier motivo, a mi alegría de vivir y, sobre todo, a mi manera de tomarlo todo a la ligera.

La parte hermosa de la pequeña Ana nadie la conoce. Por eso son tan pocos los que me quieren en verdad. Temo que se burlen de mí, que me encuentren ridícula y sentimental, que no me tomen en serio. Veo y siento las cosas de manera totalmente distinta a como las expreso hablando; por eso me dicen coqueta, pedante y romántica.

Dentro de mí escucho un sollozo: "Ya ves lo que has conseguido: malas opiniones, caras burlonas y molestas, gente que te considera antipática, y todo eso porque no escuchas los buenos consejos de tu propia parte buena". Ya no puedo soportarlo: cuando se ocupan demasiado de mí, primero me vuelvo áspera, luego triste, volviendo mi corazón una vez más con el fin de mostrar la parte mala y ocultar la parte buena, y sigo buscando la manera de llegar a ser como me gustaría ser y como podría ser… si no hubiera otras personas en el mundo.

Tuya, Ana.

Epílogo

Aquí termina el Diario de Ana Frank. El 4 de agosto de 1944, la Feld-Polizei invadió el Anexo. Todos sus habitantes, así como Kraler y Koophuis, fueron arrestados y enviados a los campos de concentración.

La Gestapo destruyó el Anexo, dejando por todos lados revistas, libros viejos, periódicos, etc. Miep y Elli encontraron entre esos papeles el Diario que escribió Ana Frank. Decidieron omitir algunos párrafos de poco interés y el resto del escrito original es publicado íntegramente.

De los ocho habitantes del Anexo, sólo el padre de Ana volvió. Los señores Kraler y Koophuis, que resistieron los sufrimientos de los campos de concentración holandeses, regresaron a sus hogares.

En marzo de 1945, Ana Frank murió en el campo de concentración de Bergen-Belsen, dos meses antes de la liberación de Holanda.

OTROS TÍTULOS

Alicia en el país de las maravillas

Apaches y comanches

Diario de Ana Frank

El corsario negro

El fantasma de Canterville

El principito

El retrato de Dorian Gray

El viejo y el mar

La Odisea

Las aventuras de Tom Sawyer

Los tres mosqueteros

Robinson Crusoe

Viaje al centro de la Tierra

Esta edición se imprimió en   Octubre de 2011   Impre Imagen
José María Morelos y Pavón Mz 5 Lt 1 Ecatepec.Edo de México